SOMMAIRE

L'imagerie des Chevaliers

Conception :
Émilie Beaumont

Textes :
Philippe Simon
Marie-Laure Bouet

Illustrations :
Bruce Millet
Isabelle Rognoni
Isabella Misso
Colette Hus-David

FLEURUS

GROUPE FLEURUS, 15-27, rue Moussorgski, 75018 PARIS
www.editionsfleurus.com

LA FORMATION DES CHEVALIERS

UNE PETITE ENFANCE AU CHÂTEAU

Jusqu'à l'âge de 7 ans, les enfants du seigneur et de sa dame vivent auprès d'eux au château. Garçons et filles jouent ensemble.

Tristan et ses sœurs, Isabelle et Aliénor, jouent aux billes, à la toupie, à la balle de chiffon... Les deux petites ont même une jolie poupée !

Les enfants aiment aussi grimper aux arbres ou jouer à cache-cache. Le père de Tristan vient de lui offrir un petit arc et quelques flèches.

Les enfants du seigneur savent lire, écrire, compter et chanter. Ils connaissent également les prières qu'ils adressent à Dieu quand ils assistent à la messe avec leur maman, dame Guenièvre.

Dame Guenièvre enseigne à ses enfants la vie de Jésus-Christ, le fils de Dieu dans la religion chrétienne. Le dimanche, ils vont à la messe.

Tristan ne va pas à l'école. C'est le chapelain, le curé de la chapelle du château, qui lui donne ses leçons. Le petit garçon apprend le latin, la langue des Romains, que l'on parle dans toute l'Europe. Il peine pour bien écrire les belles lettres gothiques sur une tablette de bois recouverte de cire.

PAGE AU SERVICE DU CHEVALIER

Tristan a 7 ans. Il est temps pour lui de devenir page. Son père, le seigneur Godefroy, le confie au chevalier Yvain, qui sera son parrain.

C'est la séparation. Tristan est triste de partir loin de ses parents et de ses sœurs. Mais il fait preuve d'un grand courage, car il est fier d'entrer au service du glorieux chevalier Yvain, auprès de qui il apprendra tout ce qu'un chevalier doit savoir.

Au château, le page ne s'ennuie pas. Le matin, il aide son maître à s'habiller. Il le sert pendant les repas et lui coupe même sa viande !

Le page doit apprendre à soigner les chevaux
de son maître et à les monter. Il lui faut de l'adresse et
de l'agilité, car les chevaux sont de puissants destriers.

Le page brosse les chevaux, leur donne à manger. Le maréchal-ferrant
fabrique les fers qu'il cloue sous leurs sabots sans leur faire mal.

Tristan prend sa première leçon
d'équitation sur ce mannequin.

Il va d'abord au pas. Un jour, il se
lancera dans de grands galops.

LE PAGE S'ENTRAÎNE DUR

Le page grandit. Son maître veille à ce qu'il développe sa force physique, qui lui permettra plus tard de porter l'armure et les armes.

Le page lutte contre d'autres garçons de son âge. Il fait des acrobaties. Pour se muscler, il lance des sacs de terre de plus en plus lourds.

Lancer le javelot avec précision, combattre à l'épée, porter la longue lance... Le page utilise des armes en bois pour ne pas se blesser.

Le page accompagne son maître à la chasse. Le jeune garçon s'initie aux secrets de la nature. Il montre toute son adresse pour tirer à l'arc ou à la fronde, ainsi que toute son endurance pour marcher longtemps.

Tristan suit le chevalier Yvain.
Il prend garde à rester silencieux.

Tristan atteindra-t-il avec sa fronde le faisan repéré par Yvain ?

Gagné ! Le chien rapporte
l'oiseau mort. Tristan est heureux.

Le soir, au château, chacun
félicite le page pour son exploit.

13

Le seigneur n'est pas le seul à veiller à l'éducation du page.
Son épouse, dame Mahaut, y participe elle aussi. Et, si le jeune
garçon se sent seul loin de sa famille, elle le réconforte.

Dame Mahaut considère Tristan
comme l'un de ses enfants.

Tristan la sert comme il sert
son seigneur, avec dévouement.

Certains soirs d'hiver, Tristan est autorisé à rester à la veillée. Réunis auprès de la cheminée, les chevaliers racontent leurs fabuleux exploits de valeureux combattants.
Le petit page ne dit rien, mais il écoute attentivement ces récits merveilleux et rêve qu'un jour il sera aussi brave.

LE PAGE DEVIENT ÉCUYER

Le page a maintenant 14 ans. Il devient écuyer.
Il suit le chevalier partout, jusque sur le champ de bataille.

Tristan s'entraîne désormais
avec la lourde épée en fer.

À cheval, il sait attraper l'aiguillette
avec sa lance et la décrocher.

Il s'entraîne aussi avec la quintaine : il pousse l'écu de sa lance
et doit vite s'écarter pour ne pas être touché par le sac rempli de terre.

LES CHEVALIERS LIVRENT BATAILLE

Le roi appelle ses seigneurs à le rejoindre pour livrer combat.
Les chevaliers se préparent. Leurs écuyers veillent à chaque détail.

En ancien français, l'écuyer est celui qui porte l'écu, c'est-à-dire le bouclier du chevalier. Tristan guide le cheval du chevalier Yvain jusque sur le champ de bataille. Ainsi, son maître n'est pas trop fatigué au moment de combattre.

La bataille est pour bientôt. Tristan aide son maître
à caparaçonner son cheval, puis à revêtir sa lourde armure.

Les deux armées se font face. Le roi donne l'ordre à ses chevaliers de lancer l'assaut. Les écuyers ne participent pas à la bataille, mais ils demeurent prêts à bondir pour secourir leurs maîtres.

Tristan est sur le qui-vive. Il ne quitte pas le seigneur Yvain des yeux. Si son maître perd son épée, il courra lui en apporter une nouvelle.

Yvain est tombé. Tristan accourt pour l'aider à se remettre en selle.

Au milieu de la mêlée, Tristan n'a qu'une arme en bois : un gourdin.

Après la bataille, l'écuyer a beaucoup de travail.
Il doit nettoyer les armes et entretenir la cotte de mailles.
Parfois, il doit également soigner le cheval de son maître.

Tristan panse la patte blessée du cheval avec un morceau d'étoffe.

Il nettoie les armes de son maître pour qu'elles ne rouillent pas.

Tristan secoue la cotte de mailles pour la nettoyer. Avec le forgeron du château, il redresse les mailles tordues et remplace celles qui sont cassées. C'est un travail minutieux : la cotte possède plus de 20 000 mailles !

Pendant ses loisirs, l'écuyer retrouve d'autres garçons de son âge.
Ils disputent de longues parties d'échecs ou de soule, l'ancêtre
du hockey. Ils apprennent aussi à jouer de la musique.

Lors des parties de soule, il faut
envoyer un ballon dans des buts.

Les écuyers se divertissent
aussi en jouant aux échecs.

Les Turcs ont
rapporté de Chine
un instrument de
musique à cordes
qui ressemble un peu
à une guitare : le luth.
Tristan aime en jouer
dans les jardins du
château pendant ses
moments de détente.
Les dames qui
l'écoutent sont ravies.

ÉLEVÉ AU RANG DE CHEVALIER

L'écuyer a 18 ans. Brave, courageux, fort et honnête, il est digne d'être élevé au rang de chevalier au cours de la cérémonie de l'adoubement.

Pour devenir chevalier, l'écuyer doit être pur. La veille de la cérémonie, les prêtres lui donnent un bain et lui coupent les cheveux très courts.

Dans la chapelle du château, Tristan confesse ses fautes.

Puis il reste seul à prier Dieu pendant la nuit entière.

Dans la chapelle, la famille de l'écuyer se presse pour assister à la cérémonie. Celle-ci est présidée par le seigneur du château, parfois même par le roi.

Le prêtre bénit la lourde épée à double tranchant. Il la tend à Tristan qui la brandit trois fois, le plus haut possible.

« Je te fais chevalier », dit le seigneur en posant l'épée sur l'épaule droite de Tristan. Le nouveau chevalier prête serment sur la Bible. Il jure devant tout le monde d'être bon, loyal et généreux, de mettre son épée au service de Dieu, d'obéir à son roi et de défendre les plus faibles.

Après avoir juré fidélité à son seigneur et à son roi,
le nouveau chevalier reçoit les marques de son nouveau rang.
Il fixe ses éperons à l'arrière de ses chaussures.

Le seigneur remet à Tristan son baudrier de cuir avec l'épée et son écu,
le bouclier que le chevalier a le droit d'orner avec ses couleurs.

Les parents de Tristan offrent
un grand festin en son honneur.

Tristan va de château en château
pour participer à des tournois.

TRISTAN GAGNE UN COMBAT IMPORTANT

Tristan est habile pour manier la longue lance. Il a déjà remporté plusieurs combats lorsqu'il participe au tournoi du seigneur Eudes.

Tristan salue Eudes, son épouse Gontrande et leur fille Héloïse.

Tristan se prépare à combattre. Il est opposé au chevalier Richard.

Le seigneur Eudes donne le signal. Les deux chevaliers s'élancent. Tristan frappe le bouclier de son adversaire, qui tombe de cheval.

TRISTAN EST FIANCÉ

Les spectateurs du tournoi applaudissent la victoire de Tristan.
Le jeune chevalier s'incline devant le seigneur Eudes.

Tristan remercie le seigneur de l'avoir reçu. Puis il s'agenouille
devant sa fille Héloïse et la déclare « reine de beauté et d'amour ».

Tristan et Héloïse s'aiment. Tristan demande la main de la jeune fille
au seigneur Eudes, qui accepte que les jeunes gens se marient.

UN GRAND MARIAGE

Les parents de Tristan et d'Héloïse préparent un grand mariage,
qui sera célébré dans le château du seigneur Eudes.

C'est un jour merveilleux : le chapelain du château déclare Tristan et Héloïse mari et femme devant Dieu. Les jeunes amoureux sont entourés de leurs proches.
Le chevalier Yvain, le parrain de Tristan, est venu. La messe sera suivie d'une grande fête.

Le seigneur Godefroy et le seigneur Eudes se sont mis d'accord pour donner un domaine à Tristan et Héloïse. Les jeunes mariés se rendent à leur château. Lorsqu'ils traversent les villages, les paysans les acclament et leur souhaitent beaucoup de bonheur.

LE CHEVALIER PART POUR LES CROISADES

La vie est douce au château. La paix règne et Héloïse a donné naissance à trois beaux enfants. Mais bientôt Tristan doit partir…

L'évêque est venu apporter une grave nouvelle. À Jérusalem, en Palestine, les musulmans empêchent les chrétiens de prier sur la tombe de Jésus-Christ, le fils de Dieu. Le pape appelle les chevaliers à partir en croisades : Tristan doit rejoindre l'armée des croisés.

Tristan est triste de quitter Héloïse et ses enfants, mais il doit respecter sa promesse de chevalier. Personne ne sait quand il reviendra.

LE CHEVALIER

LE ROI DIRIGE LE ROYAUME

À l'époque des chevaliers, les pays sont des royaumes dirigés par des rois qui se succèdent de père en fils.

Le vieux roi vient de mourir. Son fils aîné va lui succéder.

C'est le couronnement : le jeune roi entre dans la cathédrale.

Le pape, venu de Rome, pose la couronne sur la tête du roi. Devant tous les seigneurs, le souverain jure de combattre au service de Dieu.

Pour diriger le royaume, le roi est entouré des princes, des grands seigneurs et des évêques. Il écoute leurs conseils avant de prendre ses décisions.

① Le roi dirige le pays. Il récompense les seigneurs qui se battent auprès de lui en leur donnant des terres, les fiefs.

③ Les chevaliers servent le seigneur. Parfois, le roi donne un fief à un chevalier courageux, qui devient alors seigneur.

② Les ducs, les comtes et les barons sont des seigneurs. Ils jurent fidélité au roi. Ils lui viennent en aide si le royaume est attaqué.

④ Paysans, artisans et marchands donnent une partie de ce qu'ils gagnent aux seigneurs. En échange, ceux-ci les protègent en cas d'attaque.

DROITS ET DEVOIRS DES CHEVALIERS

Guerriers bien entraînés au combat, les chevaliers défendent leur seigneur, les prêtres et le roi.

Le chevalier respecte le serment de fidélité qu'il a fait à son seigneur. Il l'accompagne au combat, le défend jusqu'à la mort, ne le trahit pas.

Le chevalier, brave et courageux, affronte l'ennemi au péril de sa vie. S'il est victorieux, il préserve parfois la vie de son adversaire.

Le chevalier se met également au service des plus faibles.
Il porte secours à ceux qui sont en danger, qui sont blessés, malades
ou qui ont faim. Il se comporte avec élégance auprès des femmes.

Le chevalier donne de l'argent
aux pauvres pour les aider.

N'écoutant que son devoir,
il défend cette femme attaquée.

En bon chrétien, il assiste à la messe, confesse ses fautes au curé
et obéit au pape, qui demande aux chevaliers de partir en croisade.

LES ARMES DES CHEVALIERS

Épée, dague, lance, hallebarde, fléau d'armes, etc. : les chevaliers ne possèdent que des armes blanches, pas d'armes à feu.

La longue lance en bois se termine par une pointe en fer.

Le fléau d'armes se compose d'une boule de fer munie de pointes.

L'épée peut percer l'armure de l'adversaire grâce à sa pointe.

La masse d'armes défonce les armures les plus solides.

Le chevalier aime son épée. Il veille à ne pas la perdre au cours des combats. Il y est tellement attaché que, parfois, il lui donne un nom.

L'épée de Charlemagne s'appelle Joyeuse.

Durandal est celle de son neveu Roland.

Le bouclier, qu'on appelle écu, protège le chevalier des flèches et des coups d'épée. Il est fabriqué en bois, recouvert de cuir et porte les couleurs du chevalier. Pour le tenir, celui-ci glisse son bras dans une sorte d'anse.

L'ARMURE

L'armure des chevaliers a beaucoup changé au fil du temps. D'abord simple cotte de mailles, elle est devenue un véritable vêtement de fer.

XIIe siècle

XIIIe siècle

Au milieu du Moyen Âge, le chevalier porte une tunique sur laquelle il enfile une cotte de toile ou de cuir recouverte de mailles. Il couvre ses pieds de chausses en mailles. Son casque pointu possède une barrette qui lui protège le nez.

Sous sa cotte, le chevalier porte une chemise épaisse qui amortit mieux les coups. Par-dessus la cotte, il passe une tunique qui évite aux mailles de chauffer au soleil ou de rouiller sous la pluie. La tête est totalement enfermée dans un casque plat, le heaume.

Une armure coûte très cher. Tous les chevaliers n'ont pas les moyens d'en posséder une. Ils portent alors une simple cotte et attendent de faire fortune, par exemple en gagnant des tournois.

XIVe siècle

XVe siècle

Le chevalier protège maintenant sa poitrine, ses bras, ses jambes et ses mains avec du cuir couvert de plaques de fer. Les pièces sont reliées les unes aux autres par des lanières de cuir qu'il faut nouer. L'écuyer aide le chevalier à s'habiller. Le casque est articulé.

À la fin du Moyen Âge, le chevalier ressemble à un robot. Son armure se compose d'une vingtaine de pièces couvrant chaque partie de son corps. Tout en fer, elle pèse 20 à 25 kilos. Quand le chevalier tombe, il a beaucoup de mal à se relever seul.

LES CHEVAUX DU CHEVALIER

Le chevalier possède plusieurs chevaux. Le plus précieux est son cheval de combat, le destrier, qu'il protège grâce à une armure.

Le puissant destrier porte son armure et le cavalier.

Très fin et très élégant, le palefroi sert à la marche et à la parade.

C'est le moment de partir pour la bataille. L'écuyer prépare les affaires de son chevalier : ses armes, son armure, sa tente... Il charge le tout sur le sommier, un cheval qui peut marcher longtemps sans se fatiguer. Les chevaliers les plus pauvres n'ont que des ânes ou des mules.

Le cheval est spécialement entraîné pour ne pas avoir peur au milieu de la mêlée. Il participe lui aussi au combat, en se livrant à de fortes ruades et en donnant de violents coups de sabots.

Le destrier est revêtu d'une **barde**, une cotte de mailles recouverte d'un tissu aux couleurs du chevalier.

La **selle** est confectionnée en bois de hêtre et recouverte de cuir.

Le **chanfrein** est une pièce d'armure en fer qui protège la tête du cheval. Elle est fabriquée sur mesure.

Le chevalier pose ses pieds dans des **étriers**.

À l'arrière de ses talons, le chevalier porte une pointe, appelée **éperon**, qui permet de piquer les flancs du cheval pour le faire galoper.

Le nom « destrier » vient du fait que l'écuyer tenait le cheval de son maître de la main droite, mot qui se disait « destre » en ancien français.

DES COULEURS POUR SE RECONNAÎTRE

Pour qu'on puisse les reconnaître, les chevaliers ornent leur armure et leurs armes de couleurs et de motifs spécifiques : ce sont des blasons.

Ce chevalier arbore les couleurs de son blason sur son armure, son bouclier, son cheval et son étendard. Souvent, ces couleurs, qu'on appelle aussi les armoiries, lui viennent de ses parents. Elles ne sont pas choisies au hasard.

Chaque couleur symbolise une des qualités des chevaliers. Le rouge est signe de courage, le bleu représente la beauté.

Après avoir choisi sa couleur, il faut choisir ses figures, qu'on appelle les meubles : animaux réels ou imaginaires, fleurs, parties du corps, représentation d'un château, dessins géométriques...

Croix de Jérusalem

Aigle germanique

Lion d'Écosse

Dragon

Couronnes

Certaines figures sont restées célèbres : les fleurs de lys du roi de France ou les léopards du duc de Normandie et du roi d'Angleterre.

LES CROISADES

Au milieu du Moyen Âge, les musulmans occupent Jérusalem, en Palestine. Ils veulent empêcher les chrétiens d'aller prier sur le tombeau du Christ.

Le pape se déplace dans les royaumes d'Europe. Au cours de grandes cérémonies, il appelle à la croisade tous les chrétiens : seigneurs, chevaliers, soldats, paysans, pour aller libérer Jérusalem. Pour se reconnaître entre eux, les croisés portent une tunique ornée d'une croix rouge.

Des milliers d'hommes abandonnent tout et partent pour la Terre sainte. Certains espèrent conquérir des domaines, rapporter de beaux objets...

Le voyage est très long. De nombreux croisés meurent de froid, de faim, de soif, de maladie. D'autres sont tués au cours d'attaques de brigands et de batailles contre les musulmans.

Il faut franchir des montagnes et des déserts, traverser des fleuves ou la mer, trouver à se nourrir... Certains croisés fatigués font demi-tour.

Enfin, après quatre années de voyage, les croisés arrivent devant les murailles de Jérusalem. Les chevaliers se préparent à livrer bataille.

JÉRUSALEM EST LIBÉRÉE

Les chevaliers chrétiens remportent la victoire. La ville sainte est libérée.
Maintenant, les chevaliers doivent protéger la route vers Jérusalem.

À l'assaut des remparts de la ville, les croisés sont confrontés à une arme inconnue : les feux grégeois. Il s'agit de boules composées de produits qui prennent facilement feu et brûlent longtemps. Pour s'en protéger, les assaillants se couvrent de peaux de bêtes mouillées avec du vinaigre !

À l'annonce de la victoire, des centaines de moines chrétiens s'engagent comme soldats et comme chevaliers pour défendre le tombeau de Jésus-Christ. Ils appartiennent à différents ordres : les Templiers, les Hospitaliers... Certains fondent des hôpitaux.

LA DÉFAITE DES CHEVALIERS

Malgré de nombreuses croisades, les musulmans reprennent Jérusalem. Vaincus, les chevaliers abandonnent la Terre sainte.

Sur leur route, les croisés construisent de nombreux châteaux pour se protéger. Parmi eux, le plus connu est le krak des Chevaliers, dans lequel près de 2 000 moines portent assistance aux pèlerins.

Après ces dures épreuves, les chevaliers sont de retour. Ils racontent leurs exploits. Sans doute mentent-ils un peu pour les embellir !

QUE DE TRÉSORS RAPPORTÉS !

Lors de leurs voyages vers la Terre sainte, les chevaliers découvrent de multiples choses : des fruits, des étoffes, des instruments de musique...

Les Européens découvrent de merveilleux tapis de laine, de riches étoffes de soie venues de Chine, ainsi que de nouveaux instruments.

Les croisés rapportent de leurs voyages des fruits et des légumes, ainsi que du savon, qui leur fait connaître le plaisir de prendre des bains !

LES SAMOURAÏS, CHEVALIERS JAPONAIS

Très loin de l'Europe, le Japon est dirigé par des généraux, les shoguns, et des seigneurs qui s'entourent de vaillants chevaliers, les samouraïs.

L'armure du samouraï est constituée de grands morceaux de tissu couverts d'épais carrés de cuir et de fines plaques de fer. Le casque est souvent orné de grandes cornes.
Ce chevalier possède deux épées : une courte et une longue, qu'il attache à sa ceinture.

Le samouraï combat aussi avec un arc de bambou et de bois.

S'il risque d'être capturé au cours d'une bataille, il doit se tuer.

LES REDOUTABLES CHEVALIERS TURCS ET MONGOLS

En Asie, les chevaliers mongols envahissent de nombreux pays.
Nul ne leur résiste, mis à part les chevaliers turcs.

Les chevaliers mongols sont des cavaliers adroits : ils sont capables de tirer à l'arc pendant que leur cheval court au galop ! Ils portent un casque et, parfois, des plaques de fer sur la poitrine et les épaules. Avec leur chef le plus célèbre, Gengis Khan, ils ont vaincu l'immense armée chinoise.

Les chevaliers turcs se battent avec des épées courbes.
On raconte qu'avant la bataille, ils mettent leurs pièces d'or dans leur bouche. S'ils pensent être tués, ils avalent leur argent. Ainsi, on ne peut pas le leur voler ! Très braves, ils empêchent les Mongols d'envahir leur vaste empire de Turquie et d'Arabie.

LE CHÂTEAU

LES PREMIERS CHÂTEAUX FORTS SONT EN BOIS

Les seigneurs bâtissent des châteaux pour se défendre des attaques. Aux premiers temps du Moyen Âge, ces forteresses sont tout en bois.

On appelle ces châteaux des mottes. Les maisons sont protégées derrière une palissade de pieux et un fossé parfois empli d'eau.

Il y a de grandes forêts. Le bois ne manque pas. Les charpentiers assemblent les poutres et les planchers pour bâtir un donjon de trois étages. En cas d'attaque, on s'enferme dans la tour et on retire l'échelle pour empêcher l'ennemi d'entrer.

Les pieux de la palissade sont soigneusement taillés en pointe. Les défenseurs se tiennent à l'abri sur une plate-forme. Les guetteurs restent sur le qui-vive, car les attaques sont fréquentes.

De nombreux peuples se déplacent à la recherche de nourriture. Ils pillent les villages, vident les greniers et attaquent les châteaux.

Ce seigneur a vu son château en bois détruit. Il décide de construire un nouveau château en pierres, plus imposant et plus solide. Il choisit pour l'établir le sommet de cette colline qui domine la plaine. Du haut du donjon, les guetteurs verront les ennemis arriver de plus loin.

LE CHÂTEAU FORT EN PIERRES : UN TRÈS LONG CHANTIER

Il faut de longues années et plusieurs centaines d'ouvriers
pour élever les tours, les remparts et le donjon d'un château fort.

Le seigneur veut une forteresse qui impressionne les autres seigneurs
du royaume. Pour diriger les travaux, il paie cher des maçons réputés.

Ça crie, ça tape, ça travaille dur. Les tailleurs de pierre ajustent les blocs. Les charpentiers confectionnent les échafaudages et les charpentes. Les forgerons fabriquent et entretiennent les outils en fer.

Les villageois sont employés comme manœuvres : ils portent les charges, préparent le mortier, creusent les douves autour des remparts.

LE DONJON : LE LOGIS DU SEIGNEUR

Le donjon est la plus grande, la plus belle et la mieux protégée des constructions du château. Il sert de demeure au seigneur et à sa famille.

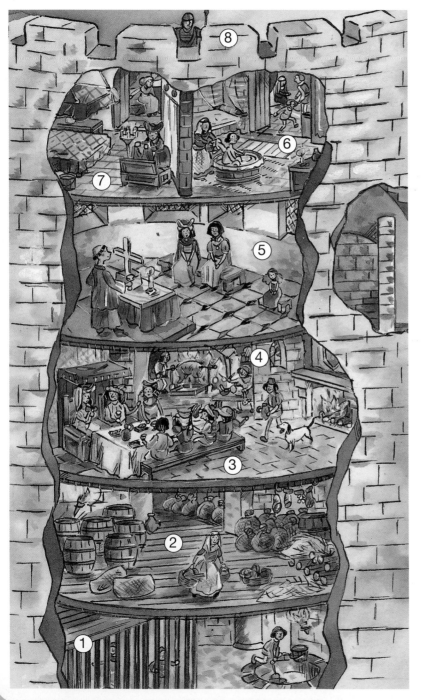

① Les **oubliettes**, ou prisons, sont de petites pièces sombres et humides aménagées au sous-sol.

② Le **cellier** est un endroit bien frais où sont conservés les aliments.

③ La **grande salle** sert à recevoir les invités. Le seigneur y prend ses repas.

④ La **cuisine** est vaste.

⑤ La **chapelle**, où la messe est célébrée tous les jours.

⑥ La **chambre du seigneur,** où il se distrait et se repose.

⑦ La **chambre de la dame**, où l'épouse du seigneur s'occupe de ses enfants et fait de la tapisserie.

⑧ **Le sommet du donjon**, où un **guetteur** veille en permanence pour donner l'alerte en cas de danger.

LES TOURS DE DÉFENSE

Placées tout autour du château et de son entrée, les tours s'élèvent très haut au-dessus des remparts.

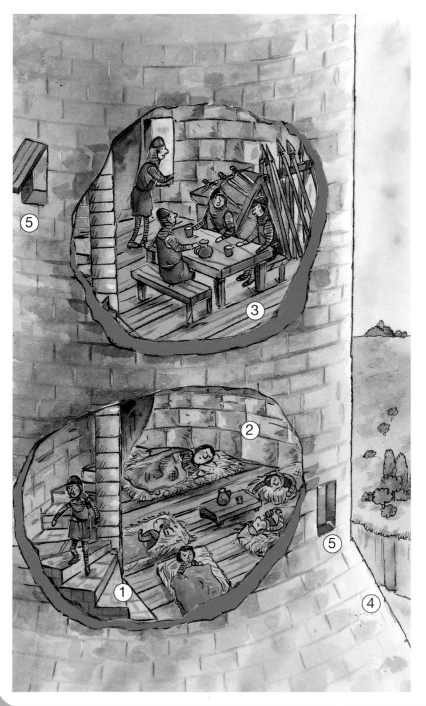

①Les **escaliers en colimaçon** tournent toujours vers la droite. C'est fait exprès pour qu'en cas d'attaque les assaillants aient du mal à manier leur épée, qu'ils tiennent de la main droite.

②La **salle de repos** permet aux soldats de prendre leurs repas et de dormir, souvent sur une paillasse de foin posée par terre.

③La **salle de garde**, où se tiennent les soldats qui veillent sur le château.

④Le **talus** de la tour est incliné. Ce dispositif ingénieux empêche les assaillants d'approcher une échelle. Il permet aussi que les cailloux lancés depuis le sommet de la tour rebondissent sur les ennemis.

⑤Les **meurtrières** sont les seules ouvertures de la tour. À l'abri, les soldats peuvent tirer leurs flèches sans être atteints.

LES REMPARTS

Ces murs très épais entourent tout le château. Parfois, un second rempart s'élève dans la cour pour protéger le donjon.

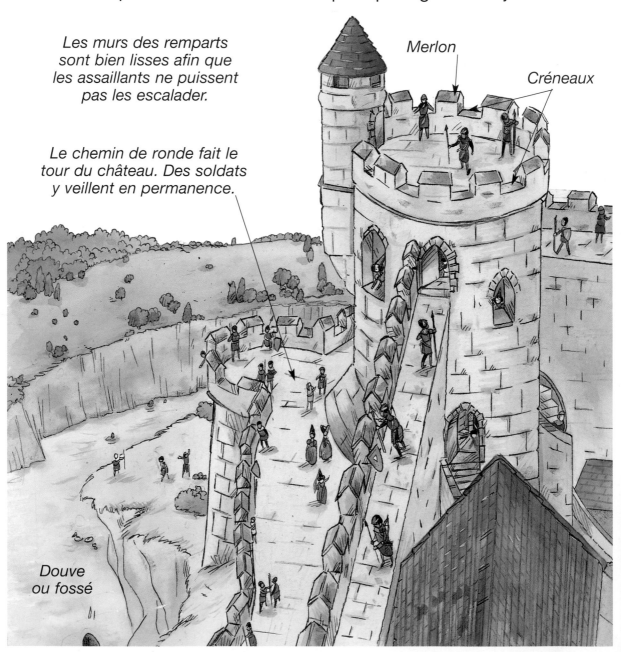

Les murs des remparts sont bien lisses afin que les assaillants ne puissent pas les escalader.

Le chemin de ronde fait le tour du château. Des soldats y veillent en permanence.

Merlon

Créneaux

Douve ou fossé

Les remparts se dressent tel un obstacle infranchissable. Si une rivière coule près du château, le fossé au pied de la forteresse est empli d'eau.

LA PORTE D'ENTRÉE

La porte d'entrée, entourée de tours, ressemble à un petit château. C'est pour cela qu'on l'appelle châtelet.

coupe

Le pont-levis tout en bois qui franchit les douves ferme la porte. Les gardes le lèvent et l'abaissent grâce à de longues chaînes.

assommoir

dessin en coupe

herse

herse

Derrière le pont-levis, deux herses, sortes de grandes grilles en bois et en fer, renforcent les défenses du château. Elles retiennent prisonniers les assaillants, sur qui les défenseurs propulsent flèches et pierres par les trous de l'assommoir.

DES RÉSERVES DE NOURRITURE

À l'intérieur des remparts, tout est prévu pour disposer d'importantes réserves de nourriture au cas où des ennemis assiégeraient le château.

Dans la cour, on élève de nombreux animaux : vaches, bœufs, chèvres, porcs, moutons, poules... Ainsi, les habitants du château ne manquent ni de viande fraîche, ni de lait, ni d'œufs. L'été, on remplit les greniers de foin, de paille séchée et de grain pour nourrir les animaux l'hiver.

Dans le jardin potager, on fait pousser betteraves, fèves, salade...

À l'automne, après les vendanges, on remplit de vin les tonneaux.

Chaque jour, il faut nourrir des dizaines de personnes :
la famille du seigneur, ses chevaliers, ses soldats
et tous les serviteurs qui travaillent au château.

On mange beaucoup de pain cuit
au four. On moud le blé au moulin.

Au saloir, on recouvre les aliments
de sel pour bien les conserver.

On a besoin d'importantes quantités d'eau pour les hommes et pour les animaux. Le puits très profond atteint la grande nappe d'eau souterraine qui se trouve sous le château. On récupère également l'eau de pluie dans de grands réservoirs en pierre.

LA FORGE

Dans sa forge, le forgeron est un homme indispensable.
Chacun a besoin de lui pour fabriquer de nombreuses pièces en fer.

Le feu est toujours allumé dans la forge. Un soufflet active même les flammes afin d'augmenter encore la chaleur indispensable pour faire rougir et ramollir les morceaux de fer. Pour éviter tout risque d'incendie dans le château, la forge est construite à l'écart des autres bâtiments.

Le forgeron confectionne des chaînes, des cercles pour renforcer les roues des charrettes ou tenir les tonneaux, des étriers, des outils...

Le forgeron ne manque pas de travail. Une de ses tâches principales consiste à fabriquer des fers pour tous les chevaux du seigneur et de ses chevaliers. Il doit également fabriquer les clous pour les fixer.

Le forgeron modèle le morceau de fer pour lui donner la forme d'un fer à cheval. Puis il le plonge dans l'eau froide pour qu'il garde sa forme.

Aidé par un écuyer, le forgeron cloue les fers sous chaque sabot. Ainsi protégés, les chevaux se blessent moins sur les cailloux des chemins.

L'ARMURERIE

L'armurier fabrique et entretient les armes des soldats et des chevaliers. Il façonne aussi les casques et les armures.

Sur l'enclume, l'armurier aplatit ce bout de fer pour en faire une épée.

Puis il aiguise la lame de l'épée sur une meule de pierre.

L'armurier et ses compagnons sont très occupés : ils doivent emmancher les piques et les haches, couvrir la poignée de l'épée d'une bande de cuir pour qu'elle ne glisse pas dans la main, préparer les flèches des arcs et des arbalètes...

Pour confectionner un casque, l'armurier chauffe une plaque de fer et la pose sur une pièce de bois grosse comme une tête. Il tape sur la plaque jusqu'à ce qu'elle prenne la forme du crâne.

Après de nombreux coups de marteau bien frappés, le casque est prêt. L'armurier garnit l'intérieur d'une protection en tissu ou en cuir.

L'armurier fabrique également les différentes pièces de l'armure. Comme un tailleur, il prend les mesures du corps du chevalier. Celui-ci vient régulièrement faire des essayages, car l'ajustement n'est pas facile. Le chevalier doit pouvoir bouger sans être gêné.

LES ARMES DES FANTASSINS

Ces soldats n'ont pas de chevaux. Ils se battent à pied auprès des chevaliers. Ils sont à peine protégés car ils n'ont pas vraiment d'armure.

Les fantassins portent un épais vêtement de cuir et un casque. S'ils le peuvent, ils récupèrent la cotte de mailles d'un de leurs adversaires. Ils se protègent des coups grâce à un bouclier en bois renforcé par des plaques de fer.

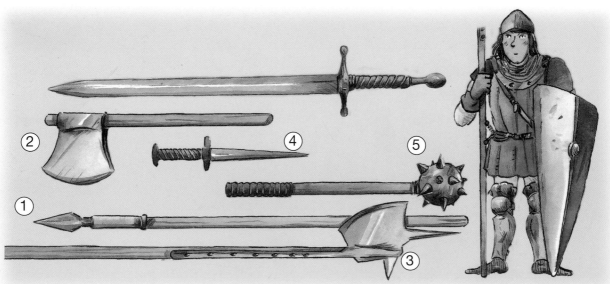

Le fantassin se bat avec une pique (1), une hache (2), une hallebarde (3), une dague (4), une masse (5). Parfois, il utilise aussi l'épée des chevaliers.

L'ARC DES ARCHERS

Il faut beaucoup de force pour tendre la corde de l'arc. L'archer doit être très habile pour tirer loin et viser juste à coup sûr.

L'arc est très grand, aussi grand qu'un homme. Il est taillé dans du bois d'if et sa corde est tressée avec du lin. Les flèches peuvent être longues de 90 cm. Elles portent une pointe en fer pouvant transpercer les cottes de mailles. Pour qu'elles partent bien droit, on place des plumes de canard à l'autre extrémité.

L'arc est tenu dans la main gauche ; la flèche et la corde, dans la main droite. Un excellent archer peut tirer dix flèches à la minute.

L'ARBALÈTE

C'est une arme redoutable car elle est très précise, beaucoup plus qu'un arc. Hélas, elle ne permet pas de tirer aussi vite.

L'arbalète tient à la fois de l'arc et du fusil. Elle tire des flèches qu'on appelle des carreaux. L'arbalétrier la tient appuyée contre son épaule. Grâce à la tension très forte de la corde, la flèche peut atteindre une cible située à 200 m.

Un arbalétrier très rapide tire une flèche à la minute.

Pour charger l'arbalète, il faut tendre la corde avec la manivelle, placer le carreau et appuyer sur la détente. La corde est libérée et la flèche part.

LA VIE
AU CHÂTEAU

LE SEIGNEUR EST MAÎTRE EN SON DOMAINE

Le seigneur dirige le domaine. Il protège le peuple en cas d'attaque.
En échange, paysans et artisans travaillent pour lui et sa famille.

Le seigneur possède souvent plusieurs châteaux sur son domaine. Il se déplace de l'un à l'autre avec sa famille et ses chevaliers.
En chemin, il regarde si chacun travaille, si les champs sont bien cultivés, si les moulins sont bien entretenus, etc.

Les paysans paient des impôts en donnant une part de leur récolte.
Ils aident à entretenir les chemins et paient pour franchir les ponts.

Les gens d'armes font la police dans le domaine. Ils poursuivent les voleurs et les assassins, qui sont ensuite jugés par le seigneur. Celui-ci a le droit de les condamner à des peines très lourdes.

Cet homme a volé du grain.
Il risque d'être condamné à mort.

Le seigneur est indulgent :
le voleur est envoyé en prison.

Le seigneur doit protéger les paysans qui travaillent pour lui. Quand le village est attaqué par l'ennemi, les maisons sont brûlées et pillées. Les paysans et leurs familles se réfugient au château. Le seigneur envoie ses chevaliers défendre le village.

LES APPARTEMENTS DU SEIGNEUR ET DE SA FAMILLE

Le confort est très limité au château. Même dans les appartements du seigneur il est bien difficile d'avoir chaud l'hiver.

De belles tapisseries sont accrochées aux murs pour décorer la grande salle. On répand des herbes et des fleurs sur le sol pour dégager une bonne odeur. Le soir, on s'éclaire à la bougie. La table est souvent constituée de planches posées sur des tréteaux.

Tant que les vitres n'existent pas, les fenêtres sont simplement fermées par des volets en bois. Le soir, on tire les rideaux de laine du baldaquin pour avoir moins froid. Dans la chambre, il n'y a pas d'armoire. On range les vêtements dans des coffres.

Il n'y a pas beaucoup d'hygiène. Les seigneurs et leurs familles ne se lavent pas souvent, car l'eau ne coule pas au robinet. Il faut aller la chercher au puits et la faire chauffer dans la cheminée.

Ni douche ni baignoire : on se lave dans un baquet en bois !

Les lavandières savonnent le linge et le frappent fort avec leur battoir.

Coupe d'une partie du château

Les toilettes, aussi appelées latrines ou garde-robes, sont situées au-dessus des douves. Pour avoir moins froid, on pose un morceau de feutre sur le siège en bois. Pas de papier, bien sûr ! On s'essuie avec des bandes de tissu.

UNE MODE ÉTONNANTE

Les magasins de vêtements n'existent pas au Moyen Âge. On taille et on coud ses habits dans des étoffes qu'on achète ou qu'on tisse.

Les dames et leurs suivantes filent et tissent la laine et le lin. Certaines achètent des pièces de coton ou de soie à des marchands ambulants.

Les hommes et les femmes s'habillent presque de la même manière, avec une chemise recouverte d'une tunique. Celle des femmes tombe jusqu'aux pieds, celle des hommes s'arrête au genou. Hommes et femmes couvrent leurs jambes de sortes de bas de laine ou de soie.

Les vêtements et les chaussures sont doublés de fourrure de renard, d'hermine blanche ou de vair, une sorte d'écureuil. Les habits n'ont pas de poches : on glisse son argent dans une bourse.

Les dames portent de grands manteaux aux manches larges.

Ces étranges chaussures très longues s'appellent des poulaines.

Certaines dames se coiffent avec un hennin. Les hommes portent des chapeaux ou de longues bandes de tissu enroulées autour de la tête.

LA CHÂTELAINE VEILLE SUR LE CHÂTEAU

La dame joue un rôle important. Elle porte, attaché à sa ceinture, un gros trousseau de clés ouvrant toutes les portes du château.

L'épouse du seigneur dit à chacun ce qu'il doit faire : préparer les réceptions, rentrer les récoltes, surveiller les travaux dans le château...

Aidée de ses servantes, la dame veille à l'éducation de ses enfants. Ce n'est pas elle qui allaite son bébé, elle laisse ce soin à une nourrice.

L'épouse du seigneur dirige les fileuses et les tisserandes. Elle se réserve une activité méticuleuse qui réclame beaucoup d'habileté : la réalisation de tapisseries qui orneront les murs du château.

La dame du château passe des heures devant son métier à tisser.

Elle possède aussi un jardin où elle retrouve ses dames de compagnie.

La châtelaine apporte remèdes et réconfort aux malades.

Quand le seigneur est absent, la dame commande les soldats.

LE SEIGNEUR ET SES CHEVALIERS AIMENT CHASSER

Le seigneur et ses chevaliers chassent à courre, ce qui signifie qu'avec leurs chiens, ils pourchassent les cerfs, les sangliers, les loups...

Le seigneur et ses chevaliers chassent les nombreux animaux qui peuplent les gigantesques forêts qui s'étendent autour du château.

Ils chassent d'abord pour leur plaisir, mais aussi pour agrémenter leurs repas. Ils utilisent aussi les fourrures des animaux chassés pour confectionner des vêtements. Les femmes du château ne participent pas à la chasse, mais elles observent les chasseurs et partagent le pique-nique servi à l'heure du déjeuner.

Le seigneur élève une meute de chiens de chasse. Le veneur est chargé de dresser et de guider les chiens. Il reçoit l'aide des pages et des écuyers, qui brossent les animaux tous les jours.

Chaque chien de la meute a un rôle particulier. Les épagneuls sont employés pour leur flair. Les lévriers, qui courent très vite, pourchassent les daims et les cerfs. Les dogues, très puissants, portent des colliers munis de clous qui les protègent des morsures de sanglier.

Les chiens pourchassent le gibier jusqu'à l'épuiser, puis le seigneur le tue d'un coup d'épée, de lance ou d'un tir d'arbalète.

LES FAUCONS CHASSENT LES OISEAUX

Pour chasser hérons, faisans, pigeons, canards, oies ou lièvres,
les seigneurs possèdent des rapaces dressés, les faucons.

Le fauconnier entraîne le faucon avec une fausse proie. Avant la chasse,
on couvre d'un chaperon la tête de l'oiseau afin qu'il reste calme.

Les chiens forcent le héron à s'envoler. Le faucon est lâché après
qu'on lui a ôté son chaperon. Le rapace part à la poursuite de sa proie.

Le faucon vole vite et très haut. Il force le héron à voler de plus en plus haut, puis l'oblige à redescendre. Pendant ce temps, les chasseurs et les chiens suivent le combat.

Le héron est fatigué. Le faucon le saisit au cou et le tue net. Les chiens rapportent l'oiseau mort. Le fauconnier récompense alors son faucon.

D'autres oiseaux de proie sont utilisés : les empereurs font dresser des aigles, les rois, des gerfauts, et les dames, des éperviers.

LES TOURNOIS ET LES JOUTES

Les chevaliers aiment se battre. Lorsque la paix règne, ils s'affrontent lors de tournois et de joutes. Le vainqueur reçoit honneurs et fortune.

Quand un tournoi est organisé, les chevaliers viennent parfois de très loin pour affronter d'autres chevaliers. Les dames, parées de leurs plus beaux habits, accompagnent leurs époux. Elles sont souvent transportées sur une litière.

Les invités s'assoient près du seigneur dans la tribune d'honneur. Les paysans assistent au spectacle debout derrière les barrières.

Le prévôt, un administrateur du seigneur, est chargé de faire respecter les règles du tournoi. Revêtus de leur armure, les chevaliers se précipitent les uns contre les autres. Ils peuvent utiliser toutes leurs armes.

Les chevaliers se ruent, armes en avant. Dans la furieuse mêlée, chacun tente de faire chuter son adversaire tout en évitant de tomber.

Ce chevalier à terre poursuit le combat.

S'il donne un coup bas, il est disqualifié.

S'il perd son arme, il doit se rendre.

Les joutes opposent deux chevaliers armés d'une lance en bois.
Séparés par une barrière, la lice, ils tentent de se faire tomber.
Seuls le bouclier et le casque de l'adversaire peuvent être visés.

Un homme annonce le nom des participants. Chaque chevalier
a noué à son bras l'écharpe de la dame pour laquelle il combat.

La trompette donne le signal de départ. Le public retient son souffle.
Les adversaires s'élancent au galop sur leurs puissants chevaux.

Les joutes et les tournois sont dangereux. De nombreux chevaliers sont tués ou gravement blessés. Les prêtres condamnent ces jeux, mais les chevaliers, trop friands de ces combats, désobéissent.

Frappé par un coup de lance, l'un des chevaliers tombe lourdement. Ses écuyers se précipitent vers lui pour l'aider à se relever.

Le vainqueur reçoit une couronne de laurier ainsi que le cheval et l'armure de son adversaire, que celui-ci peut récupérer contre de l'argent.

LE SEIGNEUR OFFRE UN GRAND BANQUET

Le seigneur donne souvent de grands banquets. Dans la cuisine, dès le matin, les marmitons s'affairent sous l'œil attentif du maître queux.

Le maître queux, mot qui signifie maître cuisinier ①, établit le menu du banquet. Il dirige les marmitons ②, qui plument les volailles, préparent le pain, font cuire les plats. Le panetier ③ veille à ce que personne ne manque de pain. L'échanson ④ choisit le vin qui sera servi à table.

On cuisine avec de rares ustensiles : les herbes sont écrasées dans un mortier ①, la viande attendrie par des coups de pilon ②. On se sert de cuillers en bois ③ pour mélanger les sauces, de couteaux ④ pour couper ou d'écumoires ⑤ pour sortir les aliments cuits dans l'eau.

Quelle chaleur ! Un grand feu est allumé dans la cheminée. Les viandes sont rôties et les poissons grillés à la broche. Les œufs, les pâtés, les légumes ou les soupes cuisent dans un gros chaudron.

Le marmiton tourne la broche à l'abri d'une paroi de paille.

On fait cuire les aliments dans un grand chaudron.

Comme il n'y a pas de liquide vaisselle, on frotte les assiettes et les marmites avec du sable et des herbes. Puis on les rince dans l'eau.

UN GIGANTESQUE FESTIN

Le seigneur qui reçoit veut éblouir ses invités. Il fait servir un copieux menu dans la grande salle. Le repas dure plusieurs heures.

Les invités de marque mangent dans des assiettes en or ou en argent ; les autres posent les aliments sur de grandes tranches de pain rassis.

Le seigneur aime faire servir le gibier chassé sur ses terres : daims, chevreuils, sangliers, cygnes, oies, ours... Les serviteurs se hâtent pour que les nombreux plats parviennent chauds.

Après plusieurs plats de viande, on sert de nombreux fromages et desserts : tartes aux fruits, flans, noisettes cuites dans du sucre...

LES ARTISTES VONT DE CHÂTEAU EN CHÂTEAU

Ménestrels, musiciens, baladins, montreurs d'animaux voyagent sur les routes. Ils frappent à la porte des châteaux pour se faire engager.

Au milieu de la grande salle, les musiciens jouent pendant le festin que donne le seigneur. Après le repas, ils font danser les convives. Les danseurs reprennent en chœur la chanson du ménestrel, musicien qui raconte une histoire en s'accompagnant d'un instrument.

On joue de nombreux instruments de musique au Moyen Âge. Certains, comme la flûte ou le tambour, existent encore aujourd'hui.

Des poètes ambulants, appelés « trouvères » ou « troubadours » selon la région, écrivent des *chansons de geste* qui racontent la vie de célèbres chevaliers comme Roland, le neveu de Charlemagne.

Les trouvères et les troubadours ne disent pas ces histoires comme des conteurs : ils les chantent en s'accompagnant d'une harpe.

Des artistes présentent également des singes ou des ours dressés. Des jongleurs et de jolies danseuses font aussi leur numéro.

FÊTES ET SPECTACLES

Dans les villes, des fêtes sont organisées pour le nouvel an et pour le retour du printemps. On joue aussi des pièces de théâtre.

Quand le printemps revient, on célèbre le carnaval. On se déguise, on se moque des prêtres, des seigneurs et du roi. On rit, on danse, on mange et on boit parfois beaucoup trop pour fêter la fin de l'hiver.

Ces comédiens jouent un mystère, une pièce de théâtre qui représente des histoires de l'Évangile, le livre racontant la vie de Jésus-Christ.

L'ATTAQUE
D'UN CHÂTEAU

C'EST LA GUERRE

Suite à une querelle ou par temps de guerre, un seigneur peut attaquer le château voisin pour agrandir ses terres ou obtenir de l'argent.

Il y a de grandes discussions entre le seigneur et ses chevaliers pour préparer l'assaut. Parfois, un espion prévient l'adversaire du danger.

Dans le domaine voisin, la cloche du château sonne l'alarme. Les paysans emportent tout ce qu'ils peuvent au château et brûlent le reste.

Les assaillants dévastent tout sur leur passage. Ils pillent les maisons, brûlent les villages et foncent vers le château. Pour se défendre, les chevaliers du domaine attaqué leur tendent des pièges.

Pendant l'attaque, les assaillants brûlent les maisons des paysans.

Ces chausse-trapes sont jetées sur la route pour blesser les chevaux.

Quand les guetteurs du château attaqué aperçoivent les chevaliers ennemis qui s'approchent, ils font baisser la herse et relèvent le pont-levis. Archers et arbalétriers préparent leurs armes. Les familles s'installent comme elles le peuvent dans les différentes salles du château.

UN CHÂTEAU EST ASSIÉGÉ

Quand des soldats et des chevaliers assiègent un château, ils espèrent que les défenseurs, à bout de vivres, se rendront sans combattre.

Le héraut, porte-parole du seigneur qui attaque, crie aux défenseurs de se rendre. En général, ceux-ci répondent qu'ils refusent.

Si le seigneur et les soldats ne se rendent pas, les attaquants organisent alors le siège du château. Ils dressent leurs tentes, installent leur campement et cherchent de quoi se nourrir. Le siège peut durer plusieurs jours, voire plusieurs semaines.

Pendant qu'à l'intérieur du château le seigneur du domaine réunit ses chevaliers pour mettre au point leur défense, les assaillants encerclent le château. Ils s'organisent pour préparer l'attaque.

Les assaillants assemblent les machines de guerre. Ils lient des fagots qui serviront à combler les fossés pour approcher des remparts.

La nuit, les assiégeants effectuent des rondes pour surveiller le château. Un assiégé peut profiter d'une nuit sans lune pour se glisser hors d'une tour et aller demander du secours à un seigneur ami de son maître. Malheur à lui s'il est pris par une patrouille...

D'ÉTONNANTES MACHINES DE GUERRE

Pour atteindre l'intérieur du château, les assaillants disposent de machines de guerre plus impressionnantes les unes que les autres.

Le **bélier** est constitué d'une grosse poutre terminée par une tête de bélier en fer. Porté par plusieurs hommes, il sert à casser le pont-levis.

Le **trépan** lui ressemble, mais il est terminé par une pointe. On fait tourner la poutre comme une grosse perceuse pour creuser un trou entre les pierres.

La grande **arbalète à tour** fonctionne comme une arbalète de soldat, mais elle est beaucoup plus puissante.

Attention, le soldat va libérer le bras du **scorpion**, qui va percuter le javelot et le propulser très loin !

Le trébuchet est une fronde géante. Il permet de lancer des boulets de plus de 100 kilos à plus de 200 m. Mais il faut près d'une demi-heure pour préparer un tir.

fronde

On abaisse le grand bras en soulevant le lourd contrepoids. Puis on fait rouler le boulet dans la fronde et on lâche le bras, qui propulse le boulet.

Les soldats ont replié le ressort de la catapulte. Quand ils vont lâcher la corde qui retient la cuiller, le bras va se dresser d'un coup et lancer le boulet. La catapulte se manie plus facilement que le trébuchet mais ne tire des boulets que d'une dizaine de kilos.

DES GALERIES POUR FAIRE S'ÉCROULER LES MURAILLES

Pour ouvrir une brèche dans la muraille, les assaillants creusent des sapes, des galeries souterraines qui vont jusque sous les remparts.

Dissimulés derrière une palissade, les soldats ouvrent une galerie. Dès qu'ils déblaient de la terre, ils soutiennent la galerie avec des rondins.

Arrivés sous la muraille, ils allument un feu et s'enfuient. Les rondins brûlent. La galerie s'effondre, entraînant une partie des remparts.

UNE ARME NOUVELLE : LE CANON

À la fin du Moyen Âge, la poudre, inventée par les Chinois,
arrive en Europe. Aussitôt, une nouvelle arme apparaît : le canon.

Le canon est un
long tube en fer.
Il est tenu par de
grosses poutres
de bois qui servent
également à diriger
le tir. Pour le charger,
les canonniers tassent
de la poudre, glissent
un boulet de pierre
et mettent le feu à
la mèche. La poudre
explose et propulse
le boulet.

Les premiers canons explosent
parfois, tuant les canonniers !

Puis les canons se perfectionnent.
Plus aucune muraille ne leur résiste.

UN CHÂTEAU EST PRIS D'ASSAUT

Lorsque le siège dure depuis plusieurs semaines et que les assiégés ne veulent pas se rendre, les assaillants décident de passer à l'attaque.

Les soldats s'affairent autour des trébuchets et des catapultes.
Les boulets de pierre fracassent les créneaux des remparts.

Les assaillants comblent les douves avec des rondins pour pouvoir faire rouler dessus le lourd beffroi de bois qui leur permettra de monter jusqu'au sommet des remparts et d'entrer dans le château.

Les flèches enflammées mettent le feu aux toits des tours de garde. Les soldats dressent des échelles pour escalader les remparts.

LES ASSIÉGÉS SE DÉFENDENT

Pour les défenseurs assiégés, il n'est pas question
de se rendre sans avoir livré un furieux combat.

Coupe d'un hourd

Au-dessus des
remparts, les
défenseurs ont
installé des hourds.
Ces abris en bois
surplombent les
assaillants. Par
les ouvertures, les
archers peuvent
tirer leurs flèches
sur les ennemis.

Les soldats font chauffer de l'eau, des pierres, de l'huile ou du sable...
qu'ils jettent sur les assaillants pour les brûler ou les assommer.

Malgré la force des assaillants, les défenseurs résistent avec courage. À l'intérieur des remparts, chacun participe à sa manière : les femmes des villageois aident elles aussi.

Ces assemblages de cordes amortissent les coups de bélier.

Les soldats guettent le bon moment pour faire tomber les échelles.

Une flèche enflammée a mis le feu. Pour éteindre l'incendie, les femmes puisent de l'eau et la portent en faisant la chaîne.

UNE ARMÉE AMIE AU SECOURS DES ASSIÉGÉS

Quand un château est assiégé, cela peut durer plusieurs semaines. La nourriture vient à manquer. Il n'y a plus qu'à attendre les secours.

Il n'y a plus beaucoup de viande ni de farine. On chasse les souris et on mange des herbes. Les blessés souffrent atrocement.

Il faut économiser les flèches, car le forgeron n'a plus de fer pour fabriquer des pointes. Enfin, le guetteur annonce l'arrivée de secours.

Aussitôt les secours arrivés, la bataille s'engage. Les archers prennent position, puis les chevaliers amis se précipitent sur les assaillants. Le fracas des armes résonne dans la plaine. La mêlée est terrible.

Les archers de chaque camp se font face et préparent leurs flèches.

En arrière, les chevaliers ferment leur casque, prêts à s'élancer.

Les chevaliers engagent le combat. Ils tentent de se faire tomber de cheval. Malheur à celui qui est à terre ! Les fantassins s'affrontent aussi.

MOINES ET CHIRURGIENS SOIGNENT LES BLESSÉS

Lors d'une attaque, il y a des blessés. Ils sont transportés dans une des tours du château, où les moines leur apportent des soins.

Les soldats récupèrent les blessés. Ils les transportent sur des brancards. Ce soldat a reçu une flèche dans la jambe. Le chirurgien retirera la pointe et posera un fer rougi au feu pour stopper l'écoulement du sang. Pour calmer la terrible douleur, un moine donnera des tisanes au blessé.

Ce soldat a eu de la chance : on lui a coupé la jambe, mais il a survécu.

Les chevaux blessés sont soignés par les écuyers.

UN SEIGNEUR SE REND

Il arrive souvent que le secours d'une armée amie ne permette pas de remporter la victoire. Affamés, les assiégés doivent alors se rendre.

Le seigneur qui a perdu se rend à son adversaire. Il fait abaisser le pont-levis et sort le premier. Il est suivi de ses chevaliers, de ses soldats et des paysans qui s'étaient réfugiés dans la forteresse.

Dès que les assiégés se sont rendus, les assaillants pillent le château. Ils prennent tout ce qui a de la valeur : argent, chevaux, armes...

UNE RANÇON POUR LIBÉRER LE SEIGNEUR

Quand un seigneur et ses chevaliers sont capturés par le seigneur ennemi, une rançon est demandée en échange de leur libération.

Le seigneur est emprisonné avec quelques-uns de ses chevaliers.

Ils sont bien traités. Parfois, le vainqueur les invite à sa table.

Il faut du temps pour réunir la rançon, car les paysans n'ont plus rien. Si on lui rend ses terres, le seigneur libéré doit rebâtir son château.

DES CHEVALIERS CÉLÈBRES

SAINT GEORGES TERRASSE LE DRAGON

Dans la légende, saint Georges est un valeureux chevalier,
célèbre pour avoir tué le dragon qui menaçait une ville de Turquie.

Dans son étang, le dragon
terrorise les habitants du royaume.

Chaque jour, il exige qu'on lui
apporte deux brebis vivantes.

Un jour, il n'y a plus de brebis.
Le dragon réclame une jeune fille.

On tire au sort : c'est la fille
du roi qui sera offerte au dragon.

Alors que la princesse va être sacrifiée, saint Georges arrive dans la ville. Le courageux chevalier promet au roi de terrasser le dragon à condition que les habitants du royaume deviennent chrétiens.

N'écoutant que son courage, saint Georges affronte les flammes que crache le dragon. Debout sur ses étriers, il blesse l'animal au cou.

La princesse ramène en ville le dragon, qu'elle tient en laisse. Devant les habitants qui applaudissent, saint Georges tranche la tête de la bête.

ARTHUR ET LES CHEVALIERS DE LA TABLE RONDE

Cette légende, sans doute la plus célèbre de tout le Moyen Âge, se déroule en Angleterre. Elle commence à la mort du roi Uther Pendragon.

Les chevaliers veillent le roi mort et prient pour le repos de son âme.

Ensuite, ils se querellent pour choisir l'un d'eux comme roi.

Ils demandent alors conseil à Merlin l'Enchanteur. Le vieux magicien les emmène dans la forêt. Au milieu d'une clairière, il leur montre une épée enfoncée dans le roc et leur dit : « Celui d'entre vous qui pourra retirer cette épée de ce rocher sera le roi. »

Chacun des chevaliers du roi Uther Pendragon est sûr de sa force et pense qu'il pourra arracher l'épée et monter sur le trône. Le premier chevalier s'approche et prend l'épée à deux mains...

Aucun des chevaliers ne relève le défi. Puis vient le tour d'Arthur, un tout jeune chevalier qui, aidé sans le savoir par Merlin, arrache l'épée.

Arthur est sacré roi. Merlin l'Enchanteur révèle alors à tous qu'Arthur est le fils caché du roi Uther Pendragon. Les chevaliers refusent d'obéir à ce jeune roi. En secret, ils complotent contre lui afin de s'emparer de son trône.

Les chevaliers d'Angleterre, jaloux, ne laissent pas un instant de répit au jeune roi Arthur. Celui-ci doit faire preuve d'un grand courage pour affronter ses adversaires. Mais il a le soutien de Merlin.

Arthur se montre très brave. Mais, au cours d'un combat, il casse son épée. Même s'il remporte la victoire, il est bien malheureux d'avoir perdu cette arme. Très triste, il n'a plus goût à rien et quitte souvent le château pour errer seul dans la campagne.

Un jour, Arthur, assis au bord d'un lac, voit une épée sortir de l'eau.

La fée Viviane apparaît alors et lui tend l'épée, qui est magique.

Grâce à cette épée aux pouvoirs surnaturels appelée Excalibur, ce qui signifie « violente foudre », Arthur peut affronter tous les chevaliers. Il devient un roi respecté et craint dans tout le royaume.

Arthur aide le roi d'Écosse dans son combat contre les Irlandais. Pour le remercier, le roi d'Écosse lui donne en mariage sa fille Guenièvre.

Un jour, Arthur réunit ses chevaliers dans son château. Il les invite à s'asseoir autour d'une grande table ronde. Chacun des chevaliers prend place et jure obéissance au roi. Ils deviennent les chevaliers de la Table ronde.

YVAIN, LE CHEVALIER AU LION

Yvain fait partie des chevaliers de la Table ronde. Il part combattre le chevalier Esclados pour venger un de ses cousins.

Le combat entre Esclados et Yvain se déroule près d'une fontaine. Yvain blesse grièvement Esclados, qui se réfugie dans son château. Yvain le suit. Quand Esclados meurt, Yvain, qui est recherché par les gardes, parvient à se cacher grâce à une servante d'Esclados.

Yvain tombe amoureux de Laudine, la veuve d'Esclados, et l'épouse. Mais les chevaliers de la Table ronde demandent au jeune homme de partir en tournoi. Laudine lui fait alors promettre d'être de retour un an plus tard.

Mais, un an plus tard, Yvain n'est toujours pas revenu. Son épouse lui envoie un messager pour lui faire dire qu'elle le hait et ne veut plus le voir. Désespéré, Yvain s'en va tout seul dans la forêt.

Pendant son errance, Yvain rencontre un lion qui se bat contre un serpent. Avec son épée, il tue le reptile.

Le lion devient son plus fidèle ami. Ensemble, ils combattent un géant qui sème la terreur dans un château.

Un jour, le chevalier retrouve la servante d'Esclados, jugée pour trahison. Il la sauve du bûcher.

Pour le remercier, la servante intervient auprès de Laudine, qui finit par pardonner à Yvain.

LA MORT DE ROLAND AU COL DE RONCEVAUX

Voici l'histoire romancée du neveu de Charlemagne, le chevalier Roland, mort à Roncevaux en défendant l'armée de son oncle.

À la tête de son armée, l'empereur Charlemagne revient d'Espagne, où il a combattu les Sarrasins, nom qu'on donne aux Arabes au Moyen Âge. Il traverse les hautes montagnes des Pyrénées par le col de Roncevaux. La voie est libre. Tout va bien.

Alors que Charlemagne, suivi d'une partie de ses troupes, poursuit sa route, l'arrière-garde de l'armée, commandée par le chevalier Roland, tombe dans une embuscade tendue par les Sarrasins. Ceux-ci sont beaucoup plus nombreux que les chevaliers de Roland.

Roland et ses chevaliers se battent avec bravoure. Mais ils sont trop peu nombreux pour contenir l'ennemi. Olivier, l'ami de Roland, lui conseille d'appeler Charlemagne à la rescousse.

Roland souffle dans l'olifant taillé dans une défense d'éléphant.

Quand Charlemagne entend l'appel, il fait demi-tour.

Selon la légende, Roland veut casser son épée sur un rocher pour que ses ennemis ne la prennent pas, mais c'est la pierre qui se fend en deux. Quand Charlemagne arrive, il est trop tard. Roland et ses compagnons sont morts.

BERTRAND DU GUESCLIN, LE FIDÈLE CHEVALIER BRETON

Courageux, hardi, rusé et fidèle… Pendant la guerre de Cent Ans,
Bertrand Du Guesclin aide le roi de France à combattre les Anglais.

Bertrand Du Guesclin est un jeune garçon mal aimé de ses parents. Il n'a pas le droit de jouer avec ses frères. Un jour, alors qu'il n'a que 6 ans, il se révolte, entre dans la grande salle du château et renverse la table du banquet au nez et à la barbe des invités et de sa maman.

À 16 ans, Bertrand s'enfuit chez son oncle. Un jour, il remplace son cousin lors d'un tournoi. Surprise : il met à terre une quinzaine de chevaliers ! Son père, qui assistait au tournoi dans les tribunes, est très fier et décide de payer à son fils sa propre armure, des armes et un cheval.

Du Guesclin, devenu chevalier, commande maintenant une armée d'une soixantaine de soldats. Tout au long de sa vie, il se fait remarquer pour sa bravoure, son intelligence et son goût pour la ruse.

Un jour, pour s'emparer d'un château, Du Guesclin déguise ses soldats en bûcherons et en paysannes qui cachent leurs armes dans leurs fagots et sous leurs jupes. Ainsi, il parvient à tromper l'armée ennemie, qui les laisse entrer dans sa forteresse.

Au cours d'une autre bataille, Du Guesclin fait preuve de vaillance en reprenant le combat alors que ses ennemis l'ont fait tomber du haut des remparts, et il remporte la victoire. Le fils du roi de France, qui commande l'assaut, remarque ce chevalier extraordinaire.

Le roi confie à Du Guesclin le commandement de ses armées.
Pour arrêter l'avancée des Anglais, Du Guesclin use à nouveau
de ruse : il feint de faire reculer ses soldats.

Les Anglais, qui croient qu'ils fuient et que la voie est libre, attaquent.
Du Guesclin et son armée se retournent alors et gagnent la bataille.

Au cours d'un autre combat, le Prince Noir, célèbre chevalier anglais, capture Du Guesclin. Le chevalier français est enfermé dans un château. Très vite, le roi de France paie l'énorme rançon qui est demandée pour sa libération.

La gloire de Bertrand Du Guesclin est grande dans tout le royaume. Le roi le nomme connétable de France. C'est le plus grand honneur qu'un chevalier puisse recevoir.

Les grands seigneurs du royaume acclament Du Guesclin lorsque le roi lui remet l'épée à pommeau d'or et à fleurs de lys, symbole de sa charge de connétable. Sous son commandement, les armées du roi font fuir les Anglais des villes françaises.

À 60 ans, Du Guesclin meurt épuisé. Le roi le fait enterrer au milieu des rois de France, dans la basilique de Saint-Denis.

FABRIQUE TON ÉPÉE ET TON BOUCLIER

Matériel : 4 morceaux de carton, un rouleau de Scotch transparent, un tube de colle, du papier d'aluminium, un feutre noir à encre indélébile, une règle, un crayon à papier, des ciseaux.

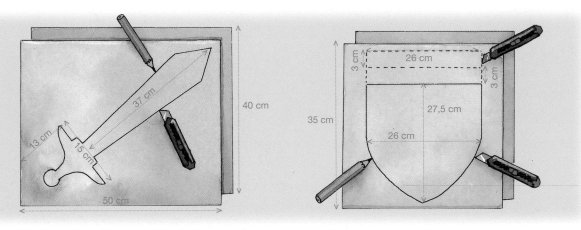

Superpose les feuilles de carton 2 par 2. Dessine sur la première paire de feuilles la forme de l'épée et sur l'autre paire, celle du bouclier. Sur l'une des feuilles avec le bouclier, laisse la place pour découper en haut 2 bandes de 3 cm de haut et de 26 cm de large pour les anses. Puis découpe les formes avec un cutter. Tu obtiens ainsi 2 épées et 2 boucliers.

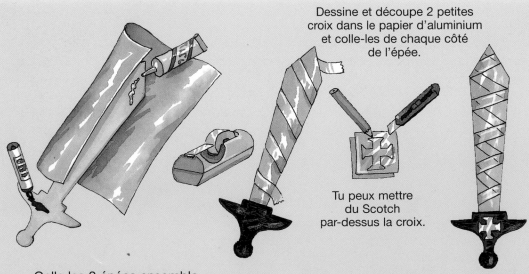

Dessine et découpe 2 petites croix dans le papier d'aluminium et colle-les de chaque côté de l'épée.

Tu peux mettre du Scotch par-dessus la croix.

Colle les 2 épées ensemble. Recouvre la lame en collant le papier d'aluminium et colorie le manche avec le feutre noir.

Pour consolider l'épée, recouvre la lame et le manche de Scotch.

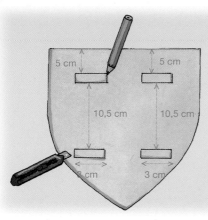

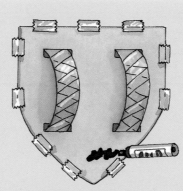

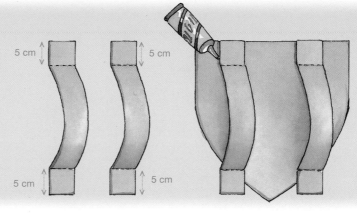

Sur l'un des boucliers, dessine
et découpe 4 fentes de 3 cm
de long comme ci-dessus.

Plie les deux anses
comme indiqué
ci-dessus.

Sur le second bouclier,
colle le haut de chaque
anse sans coller le bas.

Fais passer les deux anses
par les trous de l'autre bouclier
et colle le bas des anses sur
le premier bouclier. Puis colle
les 2 boucliers ensemble.

Fixe le bord des boucliers
avec des morceaux de
Scotch. Recouvre les anses
de papier d'aluminium et
rajoute du Scotch. Colorie
la face du bouclier en noir.

Découpe une croix dans
du papier d'aluminium avec
des ciseaux et colle-la sur
la face du bouclier qui
n'a pas d'anses. Colorie
le bouclier en noir.

Te voilà armé comme
un vrai chevalier !

ISBN : 978-2-215-08461-7
© Groupe FLEURUS, 2006
Dépôt légal à la date de parution.
Conforme à la loi n° 49-956 du 16 juillet 1949
sur les publications destinées à la jeunesse.
Imprimé en Italie (09-07)

le monde des imageries

Dès 1 an

Des livres qui grand[issent]

Découvre tes pro[chains]

LA NATURE

LA MER

L'ESPACE

LES ANIMAUX

PRÉHISTOIRE

LE CORPS

SCIENCES

La collection Pourquoi - Comment ? répond aux q[uestions]

LES LOUPS

DAUPHINS

LA SAVANE

LES FAUVES

LES TRAINS

CAMIONS

AUTOMOB[ILES]

la collection des grandes imageries : animaux - tra[ins]

PEINTURE

CINÉMA

PHOTOGRAPHIE

LA DANSE

L'ÉGYPTE

GAULOIS

RO[MAINS]

32 pages + des images à découper.